O grande Livro de perguntas sobre a fé

Gill Hollis e Marcin Piwowarski

Vida
Editora Vida
Rua Isidro Tinoco, 70 Tatuapé
CEP 03316-010 São Paulo, SP
Tel.: 0 xx 11 2618 7000
Fax: 0 xx 11 2618 7030
www.editoravida.com.br

Todas as citações bíblicas e de terceiros foram adaptadas segundo o Acordo Ortográfico da Língua Portuguesa, assinado em 1990, em vigor desde janeiro de 2009.

Editor responsável: Marcelo Smargiasse
Editor-assistente: Gisele Romão da Cruz Santiago
Tradução: Juliana Kummel Duarte de Oliveira
Revisão de tradução: Noemí Lucília Soares Ferreira
Revisão de provas: Sônia Freire Lula Almeida
Diagramação: Karine P. dos Santos
Capa: Arte Peniel

1. edição: dez. 2012

Dados Internacionais de Catalogação na Publicação (CIP)
(Câmara Brasileira do Livro, SP, Brasil)

Hollis, Gill
O grande livro de perguntas sobre a fé / Gill Hollis, Marcin Piwowarski; tradução Juliana Kummel Duarte de Oliveira. — São Paulo: Editora Vida, 2012.

Título original: *The Big Book of Faith Questions.*
ISBN 978-85-383-0258-2

1. Fé 2. Literatura infantojuvenil 3. Vida cristã I. Piwowarski, Marcin. II. Título.

12-14009 CDD-028.5

Índices para catálogo sistemático:

1. Fé cristã: Literatura infantil 028.5
2. Fé cristã: Literatura infantojuvenil 028.5

SUMÁRIO

A BÍBLIA

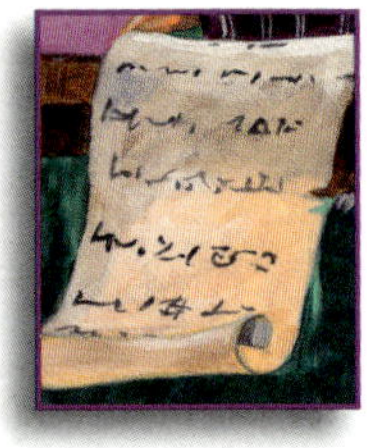

P O que é a Bíblia?

R É a Palavra de Deus para nós em uma coleção de 66 livros.

Ela está dividida em duas partes.

O Antigo Testamento contém 39 livros e inclui a história da nação judaica (e muitas batalhas), leis, profecias, canções, provérbios, orações e palavras de sabedoria. Há excelentes histórias aqui!

O Novo Testamento é formado por 27 livros que registram os acontecimentos da vida, morte e ressurreição de Jesus; cartas para ajudar os cristãos a viver como Deus quer; e uma visão do futuro.

A Bíblia é o livro mais vendido do mundo.

Ler a Bíblia pode transformar a sua vida.

P Quem escreveu a Bíblia?

R Pessoas inspiradas pelo próprio Deus.

A Bíblia levou cerca de mil anos para ser escrita, por isso não se sabe ao certo quem escreveu todas as partes.

Moisés pode ter escrito uma parte dos primeiros cinco livros do Antigo Testamento; muitos dos salmos foi escrito pelo rei Davi. A maioria das cartas do Novo Testamento foi escrita pelo apóstolo Paulo; os Evangelhos foram escritos por Mateus, Marcos, Lucas e João. Todas essas pessoas foram inspiradas por Deus por meio do Espírito Santo.

O apóstolo Paulo diz a seu amigo Timóteo que tudo que há na Bíblia está lá para ajudar as pessoas a aprender sobre a fé, para corrigi-las quando estão no caminho errado e para mostrar a elas como viver do jeito de Deus.

P Do que fala a Bíblia?

R De Deus e de seu povo.

Ela fala sobre a vida de Abraão, Isaque e Jacó; sobre José ao ser vendido como escravo e Moisés quando atravessou o mar Vermelho; conta a história do menino Davi, o pastor que matou o gigante Golias, e de Daniel que sobreviveu na cova dos leões. Também conta sobre o primeiro Natal e os milagres realizados por Jesus antes de ser crucificado, morrer e ressuscitar dos mortos na época da Páscoa.

É a história de como Deus criou o mundo e sobre o povo que chamou para ele. É o relato de como as coisas deram errado de como Deus consertou tudo para pôr em ação seus planos para o futuro.

P Por que a Bíblia é tão importante?

R Porque ela ensina as pessoas sobre Deus.

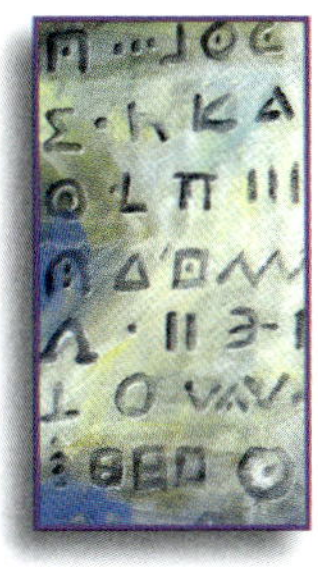

Se você quer conhecer a Deus, a Bíblia é o melhor lugar para procurá-lo. A Bíblia ajuda as pessoas a entender como Deus é, principalmente nas histórias sobre Jesus. Jesus mostrou quem Deus é de uma forma muito especial (vamos falar mais sobre isso depois). A Bíblia mostra quanto Jesus amava a Deus e como ele tratava as outras pessoas; mostra também que quem deseja viver do jeito de Deus precisa ser como Jesus. Seria muito difícil ser um cristão sem conhecer o que está na Bíblia.

DEUS

P Quem é Deus?

R O Criador do céu e da terra.

A Bíblia descreve Deus como o Criador amoroso e cuidadoso que criou todas as coisas "boas" e "muito boas".

Deus não apenas criou o planeta Terra, mas também criou as estrelas, os outros planetas e todo o Universo. Não existe nada que ele não conheça.

Deus criou as pessoas, homem e mulher, para serem amigos dele. Deus conhecia cada um antes de nascer e conhece as pessoas melhor do que elas mesmas se conhecem.

P Como Deus é?

R Santo, justo, amoroso e perdoador.

Deus é todo-poderoso, conhece todas as coisas e é santo, muito além da compreensão humana.

Deus é bom e justo, comprometido com a verdade e completamente íntegro.

Deus é amor. Deus é um pai perfeito: ele cuida de seus filhos, suprindo suas necessidades, confortando-os e dando o que é melhor para eles. Deus demora a ficar bravo, mas é rápido em demonstrar amor e perdão.

P Onde Deus está?

R Em todo lugar!

Deus é espírito e não tem um corpo como o nosso para ficar preso a um único lugar.

Deus sempre existiu. Ele não tem começo e não tem fim. Nunca morrerá nem desaparecerá. Deus está no mais profundo oceano, no topo da montanha mais alta e no lugar mais distante do Universo. Nada nem ninguém pode se esconder de Deus.

P Como podemos conhecer a Deus?

R Aprendendo sobre Jesus.

Deus enviou Jesus, seu Filho, para nascer como ser humano e viver entre nós. A vida dele nos conta muito sobre Deus.

Jesus nos mostrou que todos precisam do perdão de Deus e que Deus nos ama, mesmo quando não o amamos. Jesus contou uma história sobre um pai cujo filho veio pedir perdão a ele. O pai estava esperando o filho, pronto para perdoá-lo. Assim também, Deus espera pacientemente que nós venhamos a ele.

Também podemos conhecer mais a Deus lendo sobre ele na Bíblia e falando com ele em oração.

A CRIAÇÃO

P Quem criou o mundo?

R Deus.

A Bíblia começa descrevendo o impressionante ato de criação de Deus. Ela não nos conta como ele fez, mas nos conta quem criou o mundo e por quê.

A Bíblia nos diz que Deus é o Criador de todas as coisas e que as pessoas são especialmente importantes para ele. Também conta que nossa natureza humana nos revela algo sobre como Deus é.

P Que tipo de mundo Deus criou?

R Um mundo muito bom.

Quando Deus fez as montanhas e os rios, plantas e árvores, estrelas e planetas, peixes, pássaros e animais terrestres, ele viu que tudo isso era bom. Ele se agradou do belo mundo que havia criado.

Quando Deus criou o homem e a mulher, fez criaturas que podiam conhecê-lo, podiam amar e ser amadas, podiam pensar, imaginar e criar coisas. Então, Deus viu que o que havia acabado de criar era muito bom.

P Por que Deus criou as pessoas?
R Para serem seus amigos.

As pessoas são muito importantes para Deus porque são mais parecidas com ele do que qualquer outra criatura que ele tenha feito.

Quando Deus criou as pessoas, eles passavam um tempo juntos todos os dias desfrutando da companhia uns dos outros e conversando. Deus também deu a elas tarefas para que pudessem compartilhar do trabalho que ele havia feito, cuidando do mundo e das criaturas que ele criara. Deus disse ao homem e à mulher que tivessem filhos e trabalhassem na terra, cultivando-a para alimentá-los.

P Quando as coisas começaram a dar errado no mundo?
R Quando as pessoas desobedeceram a Deus.

Deus queria que as pessoas que ele criara amassem o mundo e cuidassem dele. Deus tinha lhes dado a vida e tudo que elas precisavam para desfrutar o mundo, conhecer a Deus e ser amigas dele. Ele lhes deu uma regra simples. Mas as pessoas decidiram ignorar a regra preferiram agir do seu jeito.

Deus ficou triste com o que elas fizeram. Ele não podia mais confiar nelas. A amizade delas com Deus estava quebrada.

O PECADO

P O que é o pecado?

R **Qualquer coisa que não seja perfeição.**

As pessoas pecam quando desobedecem aos mandamentos de Deus, mas também pecam ao pensar ou agir de modo egoísta, agressivo ou imprudente. Quando Adão e Eva desobedeceram a Deus, o pecado passou a fazer parte do ser humano – as pessoas passaram a pôr a sua vontade na frente da vontade de Deus.

Deus quer que nós o amemos e mostremos esse amor cuidando das pessoas que estão ao nosso redor, sendo gentis, generosos e ajudando quem tem necessidades. Ele quer que defendamos as pessoas que não podem se defender e sejamos amigos de quem não tem amigos.

P O que o pecado faz?

R **O pecado nos afasta de Deus.**

O pecado estragou o mundo perfeito de Deus e todos os relacionamentos neste mundo.

Deus detesta quando as pessoas contam mentiras ou quebram regras importantes porque um pecado geralmente leva a outro pecado. Ele sabe que, quando pensam demais nelas mesmas, as pessoas param de se importar com os outros. Ser egoísta torna sempre as pessoas ciumentas e cruéis. Deus não suporta ver as pessoas fazendo coisas terríveis umas contra as outras.

P Deus para de amar as pessoas que pecam?

R Não. Mas...

Deus criou as pessoas para serem amigas dele. Quando Adão e Eva quebraram os mandamentos de Deus, ele não podia fingir que nada havia acontecido. Quando Caim matou seu irmão Abel, Deus não podia simplesmente dizer: "Tudo bem!". Deus não é apenas amoroso; é também justo e bom.

O pecado, as coisas ruins que aconteceram e ainda acontecem hoje, precisavam ser punidas. Deus ficou bravo e expulsou Adão e Eva do jardim do Éden, mas continuou cuidando deles. Caim foi mandado embora, mas Deus impediu que as pessoas o matassem.

P Alguém é perfeito?

R Só Jesus.

Porque é justo e amoroso ao mesmo tempo, Deus teve um plano para resolver o problema do pecado.

No tempo de Moisés, o sacerdote confessava todos os pecados do povo sobre uma cabra viva que "levava embora" os pecados do povo. Outra cabra era sacrificada simbolizando o arrependimento do povo por seus pecados. Isso acontecia uma vez por ano.

O plano de Deus era enviar Jesus, que morreu uma única vez na cruz. Ele levou sobre a cruz os pecados de todo o mundo para sempre. Qualquer pessoa que queira o perdão de Deus precisa crer e aceitar Jesus, porque ele recebeu a punição pelos pecados de todos os homens e mulheres.

Os descendentes de Adão

P Por que Deus mandou o Dilúvio?

R Deus planejava começar tudo outra vez.

Depois que Caim matou Abel, Adão e Eva tiveram outro filho chamado Sete. Sete e sua família adoravam a Deus. Mas, à medida que mais e mais pessoas enchiam a terra, elas se tornaram cruéis e egoístas de novo. Deus se arrependeu de ter criado as pessoas e decidiu destruir a terra. Deus faria chover muito... muito..., e a terra ficaria toda embaixo da água.

P Deus salvou alguém?

R Sim. Noé e sua família.

Havia um homem que amava a Deus, e seu nome era Noé. Deus estava satisfeito com Noé e mandou que ele construísse uma arca para que, sua família, ele e todos os animais pudessem ser salvos das águas do Dilúvio.

Depois do Dilúvio, Deus começou a encher o mundo de pessoas de novo. Ele deu mais uma chance às pessoas de amá-lo e de cuidarem uns dos outros e do mundo. Deus prometeu que nunca mais acabaria o mundo com um Dilúvio.

P **Por que a torre de Babel foi construída?**

R **Para provar que os homens eram poderosos.**

Algumas gerações depois, todos tinham se esquecido de Deus. Dessa vez, eles estavam usando o que sabiam fazer e o que tinham aprendido para pensar somente neles e em como eram poderosos. Esses homens construíram uma torre enorme, mas Deus impediu a construção antes que as coisas ficassem ainda piores. Deus confundiu as línguas das pessoas para que elas não pudessem entender umas às outras e as espalhou por toda a terra.

P **O que Deus pediu a Abraão?**

R **Que confiasse nele.**

Deus queria uma pessoa, um grupo de pessoas, uma nação para amá-lo e viver como ele sempre quis que as pessoas vivessem. Ele precisava de alguém que o ouvisse e confiasse nele, não importa o que acontecesse.

Deus sabia que o mundo nunca mais seria como fora antes de Adão e Eva terem desobedecido, mas Abraão ouviu quando Deus falou com ele. Abraão confiou em Deus, mesmo quando o que Deus queria pareceu realmente muito difícil de entender. Abraão tinha fé em Deus.

O povo de Deus

P O que Deus prometeu a Abraão?

R Muitos descendentes.

Deus prometeu a Abraão que ele teria mais descendentes do que as estrelas que podia contar no céu. Deus disse a Abraão que o levaria a um lugar onde poderia começar uma nova nação, um novo povo.

Abraão já era muito velho e não tinha filhos, mas obedeceu a Deus e deixou sua casa por uma nova terra que não conhecia. Abraão confiou em Deus, mesmo sua esposa sendo velha demais. Ela duvidou que eles pudessem ter um filho. Mas Deus cumpriu a promessa, e Sara deu à luz Isaque.

P Quem eram os patriarcas?

R Abraão, Isaque e Jacó.

Abraão queria que a esposa de Isaque pertencesse ao povo dele e tivesse as mesmas crenças e costumes. Por isso, Isaque casou-se com Rebeca, neta do irmão de Abraão.

Isaque e Rebeca tiveram gêmeos: Esaú e Jacó. Jacó enganou o irmão e o pai, para que o pai o abençoasse em lugar de abençoar Esaú, o filho mais velho.

Cada família ensinou seus filhos a confiar em Deus. Por meio dessas três famílias, o povo de Deus cresceu como Deus tinha prometido a Abraão. No início, eles eram nômades: viviam em tendas e mudavam a família, as ovelhas, as cabras, os camelos e os jumentos para onde houvesse água e alimento.

P Quando o povo de Deus passou a ser chamado de israelitas?

R Depois da morte de Jacó.

Jacó tinha 12 filhos e uma filha, e cada filho tornou-se cabeça de uma grande família com muitos descendentes. Deus deu um novo nome a Jacó e o chamou de Israel. O povo de Deus era conhecido como filhos de Israel ou israelitas pelas nações que o cercavam.

Na época da morte de Jacó, os israelitas estavam vivendo no Egito e, mais tarde, os egípcios os fizeram seus escravos.

P Onde ficava a terra prometida?

R Na terra de Canaã.

Canaã era uma terra fértil, descrita na Bíblia como uma terra que manava leite e mel. Situava-se ao longo da costa leste do mar Mediterrâneo até o rio Jordão, ao sul do Líbano e ao norte do Egito.

Deus chamou Moisés para tirar seu povo do Egito e levá-lo à terra que ele prometera lhes dar. O rei do Egito não queria deixá-los ir, mas depois de Deus ter mandado muitas pragas sobre os egípcios, os israelitas escaparam pelo mar Vermelho, seguindo em direção à terra prometida.

Os mandamentos de Deus

P Quantos mandamentos Deus deu a Moisés?

R Dez.

Deus sabia que seu povo precisava de mandamentos claros

para ajudá-los a obedecer a Deus e a cuidar uns dos outros. Deus chamou Moisés ao alto do monte Sinai e lhe entregou Dez Mandamentos, ou dez regras. Deus prometeu conduzi-los e sempre cuidar deles se obedecessem a essas regras.

P Quando Deus entregou esses mandamentos?

R Quando os israelitas estavam no deserto.

Deus tinha libertado seu povo da escravidão no Egito. Agora ele precisava separá-los de todas as outras nações que viviam ao redor. Assim, as pessoas veriam que o povo de Deus era diferente, um povo santo como o Deus em quem eles confiavam e a quem seguiam.

Deus escreveu os Dez Mandamentos em duas grandes tábuas de pedra.

P **O que os mandamentos dizem a respeito de Deus?**

R **Que ele é santo e especial.**

O primeiro mandamento é: "Não adorem a outros deuses além de mim".

O segundo mandamento é: "Não façam ídolos para adorá-los".

No terceiro, Deus diz ao povo: "Não digam meu nome em vão".

O quarto mandamento é sobre ter um dia especial na semana para descansar e adorar a Deus, assim como ele descansou depois da criação do mundo.

P **Como devemos tratar as outras pessoas?**

R **Com amor e respeito.**

O quinto mandamento fala sobre como devemos tratar nossos pais: "Respeite o seu pai e a sua mãe".

Do sexto ao décimo mandamento, Deus diz como devemos tratar as outras pessoas: "Não mate; seja fiel no casamento; não roube; não conte mentiras sobre os outros; não deseje nada que pertença a outra pessoa a tal ponto que estrague sua amizade com ela".

As promessas de Deus

P Por que Deus fez promessas?

R Porque Deus amava seu povo.

Desde o princípio Deus fez coisas boas. Ele criou as pessoas e lhes deu o dom da vida, a capacidade de participar com ele na criação, tendo filhos, o alimento de que necessitavam e um lugar para morar.

As pessoas quebraram essa confiança quando desobedeceram ao seu único mandamento. Mas Deus nunca desistiu. Ele fez acordos com o homem e seus descendentes, prometendo coisas boas, desde que guardassem determinadas regras, que permitiam que eles vivessem juntos e em paz.

P Qual foi o resultado da promessa de Deus a Abraão?

R Uma nova nação: o povo de Deus.

Toda a nação de Israel era descendente de Abraão.

Deus prometeu a um dos descendentes de Abraão, o rei Davi, que de sua família viria um rei que governaria para sempre. Deus cumpriu sua promessa e, muitas gerações depois, esse rei nasceu. Seu nome é Jesus.

P O que aconteceu quando o povo quebrou a aliança?

R Eles foram punidos.

Deus prometeu libertar seu povo da escravidão no Egito, mas, quando Deus os libertou, eles reclamaram que estavam com fome. Deus lhes deu comida e água, mas logo depois eles reclamaram que estavam enjoados e preferiam voltar a ser escravos no Egito.

Até mesmo quando Deus estava dando os Dez Mandamentos a Moisés, o povo estava tão impaciente que fez um bezerro de ouro para adorar no lugar de adorarem a Deus!

Como punição, os israelitas vagaram pelo deserto por quarenta anos em vez de viver em sua casa em Canaã.

P Por que Deus enviou os profetas?

R Para dar mais uma chance ao povo.

Deus cumpriu suas promessas, mas o povo repetidamente não cumpria sua parte do acordo. Eles não confiavam em Deus.

Deus enviou profetas, homens e mulheres inspirados por ele para falar ao povo, encorajá-los e, muitas vezes, adverti-los de que precisavam mudar seu comportamento. Mas geração após geração ignorou os avisos dos profetas.

Os israelitas foram derrotados por seus inimigos e, por fim, foram exilados, mandados para longe de sua casa e governados por outros países.

Os profetas

P Quem fez das pessoas profetas?

R Deus.

Ninguém nunca se apresentou para ser um profeta. Deus escolhia as pessoas que ele queria que levassem suas palavras a seu povo no tempo deles; muitos desses profetas inventavam desculpas a Deus para que outros fossem em seu lugar.

Moisés pediu a Deus que enviasse seu irmão, Arão, em vez de enviá-lo. Elias sofria de depressão. Isaías disse que não era digno. Jeremias disse que era muito jovem. Jonas fugiu porque não queria levar a mensagem de Deus!

P O que um profeta fazia?

R Levava a mensagem de Deus às pessoas.

Os profetas eram chamados para avisar as pessoas do que iria acontecer.

A alguns profetas, como Elias, Deus falava diretamente. Com outros profetas, como Isaías e Ezequiel, Deus falava em sonhos ou visões; Miqueias diz ter sido inspirado pelo Espírito Santo.

Todos os profetas confiavam em Deus; já as outras pessoas não ouviam o que Deus lhes falava. Deus usou esses profetas para dar outra chance de o povo se arrepender, pedir perdão e mudar de vida.

P Por que o trabalho deles era difícil?

R Porque quase ninguém dava ouvidos ao que eles falavam!

A maioria dos profetas, como Jeremias, era perseguido ou motivo de piada das pessoas. Alguns, como Elias, corriam perigo de perder a vida. Quase todos eles foram ignorados pela maior parte das pessoas, até ser tarde demais.

Jonas fugiu. Não porque tinha medo dos assírios, mas porque sabia que eles podiam se arrepender quando ouvissem a mensagem! Jonas achava que eles mereciam ser punidos com a morte; ele não conseguia entender por que Deus amava tanto as pessoas a ponto de perdoá-las e não destruí-las.

P Que mensagens eles levavam?

R Peçam perdão, mudem de vida e confiem em Deus.

Elias alertou Acabe para parar de adorar ídolos de pedra, voltar-se para Deus e confiar somente nele. Isaías e Jeremias preveniram o povo de que Deus não iria protegê-los de outras nações se eles continuassem sendo cruéis e injustos e adorassem outros deuses. Amós avisou ao povo que Deus não queria mais festas religiosas, canções e sacrifícios; queria que eles fossem bondosos e justos em tudo o que fizessem. Miqueias os advertiu sobre o julgamento, mas aguardou com esperança a promessa daquele que os salvaria.

Jesus

P Quem é Jesus?

R Deus em forma de homem.

Jesus sempre existiu. Ele estava com Deus quando Deus criou o mundo e deu vida a todas as coisas que Deus criou.

Jesus é chamado de Cristo. Cristo não é o sobrenome dele, mas em grego quer dizer "o Ungido". Outro nome pelo qual Jesus é chamado é "Messias", que em hebraico também significa "Ungido". Quando Jesus nasceu, Deus se fez homem e tomou a forma humana. Ele foi o escolhido de Deus para salvar as pessoas de seus pecados e mostrar a elas como podem ser amigas de Deus.

P Quando Jesus viveu?

R Cerca de dois mil anos atrás.

Jesus nasceu quando Herodes era rei da Judeia, César Augusto estava encarregado do Império Romano e Quirino era governador da Síria.

Ele nasceu em um pequeno lugar do Império Romano chamado Palestina, em uma família trabalhadora comum. José era carpinteiro (leia sobre ele na página 26 deste livro). Ele morava em Nazaré, por isso Jesus cresceu lá e passou a maior parte de sua vida entre pescadores junto ao Mar da Galileia.

P **Como era Jesus?**

R **Amoroso, cuidadoso, corajoso e bom.**

Jesus nasceu no Oriente Médio. Então, é provável que ele tivesse cabelos e pele bem escuros, olhos castanhos e barba.

Os Evangelhos contam que Jesus era amigo de cobradores de impostos, como Mateus e Zaqueu, pessoas de quem os outros não gostavam, e também de leprosos, que eram evitados pelas outras pessoas. Ele se importava com as necessidades das pessoas e, em muitas ocasiões, providenciou para que as pessoas famintas recebessem alimento.

Jesus foi tentado a fazer coisas erradas, assim como nós somos, mas ele não pecou. Jesus escolheu morrer uma morte dolorosa para nos salvar, quando poderia ter fugido.

P **O que Jesus ensinava?**

R **Ensinava sobre Deus e como amá-lo.**

Jesus ensinou as pessoas a amar a Deus em primeiro lugar e amar os outros tanto quanto amavam a si mesmas.

Jesus disse que, se queremos ser perdoados por Deus, precisamos perdoar aqueles que fizeram coisas ruins para nós. Também disse que devemos nos comprometer a ajudar os pobres.

Quase todas as pessoas achavam Jesus um professor incrível. Ele sempre usava histórias ou parábolas para ajudá-las a entender o que nunca haviam entendido.

O nascimento de Jesus

P Quem era a mãe de Jesus?

R Maria.

O anjo Gabriel disse a Maria que ela teria um filho que seria chamado Filho de Deus. Ela ficaria grávida pelo poder do Espírito Santo. Era um milagre.

Maria ainda era muito jovem e deve ter ficado muito assustada, mas amava a Deus e desejava ser a mãe de Jesus.

P Quando Maria se casou com José?

R Quando estava grávida.

Antes de o anjo vir falar com Maria, José estava se preparando para casar com ela. Quando Maria disse a ele o que anjo havia dito, ele ficou triste. José amava Maria, mas pensou que não poderiam se casar se ela estava esperando um *bebê* que não era filho dele.

Outro anjo veio contar a José que Maria estava levando o Filho de Deus e que ele devia casar com ela e ser um pai para o novo *bebê*. Assim, José casou com Maria e cuidou dela.

P Onde Jesus nasceu?

R Em um estábulo em Belém.

Maria e José moravam em Nazaré, mas precisaram viajar até Belém para se alistar no livro de registros. Os romanos que estavam no comando do país, queriam contar todas as pessoas em um censo.

A cidade estava tão cheia de gente que não havia lugar para eles ficarem. Quando Maria estava prestes a dar à luz, um hospedeiro os deixou usar o estábulo dele. Depois que Jesus nasceu, Maria fez uma cama para o bebê em uma manjedoura, o lugar onde os animais se alimentavam.

P Quem foi visitar o bebê Jesus?

R Pastores e sábios.

Na noite em que Jesus nasceu, um coral de anjos contou a alguns pastores que o Salvador deles havia nascido. Eles correram para Belém para procurar o bebê recém-nascido.

Algum tempo depois, sábios que haviam seguido os movimentos incomuns de uma estrela vieram procurar um novo rei. Eles trouxeram presentes para Jesus: ouro para um rei; incenso, que era usado para adoração; e mirra, que era usada em sepultamentos.

VIVENDO COMO DEUS QUER

P O que Jesus ensinou sobre viver uma vida correta?

R "Sejam perfeitos assim como Deus é perfeito."

P O que Jesus ensinou sobre a ira?

R Que ela pode levar a coisas piores.

Jesus ensinou às pessoas que Deus deseja coisas grandes para elas.

Jesus disse que nós somos o sal do mundo. Precisamos seguir o caminho de Deus com tanto empenho que as outras pessoas vejam que somos diferentes. O sal que perdeu o sabor não serve para mais nada.

Jesus disse que somos a luz do mundo. Não precisamos nos esconder e ter vergonha da nossa fé; precisamos ter certeza de que as pessoas sabem que nós amamos a Deus. Então, outros poderão seguir também o caminho de Deus.

A lei de Moisés dizia que matar alguém era errado e quem matasse seria punido. Jesus disse que não é apenas o ato de matar alguém que é errado, mas também a ira ou o ódio que leva ao assassinato. Deus quer que as pessoas vivam em paz e resolvam qualquer desentendimento rapidamente.

P **O que Jesus ensinou sobre o perdão?**

R **Não guarde rancores.**

Jesus disse a Pedro que o povo de Deus deveria aprender a perdoar todas as vezes que alguém viesse pedir perdão — assim como eles mesmos buscavam o perdão de Deus vez após outra.

Depois Jesus contou a história de um homem que tinha uma grande dívida com o rei. O rei perdoou a dívida desse homem, mas depois ouviu dizer que ele se recusara a perdoar a dívida de outro homem que lhe devia apenas uma pequena quantia. O rei ficou muito bravo. Pessoas que foram perdoadas também precisam perdoar os outros.

P **O que Jesus falou sobre os erros das outras pessoas?**

R **Não julguem uns aos outros.**

As pessoas devem confessar os próprios pecados e pedir ajuda a Deus para corrigi-los, em vez de ficar se preocupando com os pecados dos outros. Jesus disse que isso é como procurar um grão de areia no olho de alguém quando você tem uma tábua no seu! Apenas Deus está na posição de julgar.

Jesus disse para amarmos e servirmos uns aos outros, sempre pondo os outros em primeiro lugar. Se todos agissem assim, não veríamos os erros dos outros, não ficaríamos bravos com ninguém, e ninguém precisaria de perdão!

Os milagres

P Por que Jesus fez milagres?

R Para mostrar o amor de Deus.

Jesus chamou seus milagres de "sinais" porque eles mostravam como Deus era.

Quando Jesus acalmou uma tempestade em um lago, ele demonstrou que Deus tem poder para controlar a natureza e também que ele não quer que seus amigos tenham medo.

Quando as pessoas foram curadas ou quando Jesus multiplicou cinco pães e dois peixes para alimentar 5 mil pessoas famintas, ele mostrou o quanto Deus se importava com elas.

Quando Jesus ressuscitou Lázaro dos mortos, mostrou que Deus tem poder sobre a morte.

P Como Jesus ajudou as pessoas por meio dos milagres?

R Mostrando às pessoas o amor de Deus e curando quem estava doente.

Jesus deu vista aos cegos, fez os surdos ouvir, curou as doenças de pele das pessoas e curou um homem com um braço menor que o outro. Ele curou o servo de um soldado sem nem visitar a casa dele, e curou uma mulher que tocou na borda de seu manto.

Jesus, até mesmo, ressuscitou algumas pessoas dentre os mortos: entre elas, a filha de 12 anos de Jairo, o filho da viúva de Naim e Lázaro, o irmão de Marta e Maria.

P Como as pessoas reagiram?

R Com alegria, surpresa, medo e ciúmes.

Quando Jesus transformou água em vinho em um casamento, a mãe dele se alegrou. Ela sabia que ele tinha o poder de Deus para fazer coisas incríveis acontecerem.

Quando Jesus curou um homem que não conseguia andar, as pessoas ficaram surpresas com seu poder. Mas os líderes da igreja ficaram com ciúmes porque Jesus também disse ao homem que os pecados dele estavam perdoados — algo que só Deus podia fazer. Jesus teve inimigos, bem como amigos.

Quando Jesus andou sobre as águas, seus discípulos ficaram surpresos e assustados, porque viram que ele tinha poder de Deus para controlar até as leis da natureza.

P Por que os líderes religiosos odiavam Jesus?

R Porque Jesus tirou parte do poder deles.

Parte do objetivo de Jesus na terra era usar o poder de Deus para ajudar as pessoas e mostrar que Deus queria perdoar qualquer um que se arrependesse de seus pecados. Até então, os líderes religiosos da época tinham sido poderosos. Quando Jesus curou um homem com uma mão atrofiada no dia de sábado, ele não quebrou uma regra dada por Deus, mas uma regra que tinha sido criada por aqueles líderes. Jesus disse que não havia mal nenhum em fazer coisas boas no dia de sábado. Os líderes religiosos ficaram tão furiosos que começaram a fazer planos para matar Jesus.

O AMOR

P **A quem devemos amar?**

R **A Deus e ao nosso próximo.**

Jesus lembrou às pessoas que elas devem amar a Deus com todo o coração, alma e força e amar ao próximo como a si mesmas. Se as pessoas puserem toda sua energia nisso, estarão cumprindo os mandamentos que Deus deu a Moisés.

Esse tipo de amor não está relacionado a como nos sentimos, mas à maneira com que nos comportamos. É cuidar dos outros e dar a eles o primeiro lugar, mesmo quando não temos vontade de agir assim.

P **Quem é o nosso próximo?**

R **Qualquer pessoa que precise da nossa ajuda.**

Para responder a essa pergunta, Jesus contou a história do bom samaritano:

Quando um judeu foi atacado por ladrões e deixado como morto na beira da estrada, dois religiosos passaram ao lado dele sem ajudá-lo, mas um samaritano — um estrangeiro e inimigo dos judeus — parou, levou-o a uma hospedaria para que cuidassem dele e pagou pelo tratamento.

Jesus disse que todos deveriam mostrar amor pelas pessoas assim como o samaritano fez.

P **O que Jesus falou sobre os nossos inimigos?**

R **Ele disse que devemos amá-los também.**

Jesus disse a seus discípulos que orassem por qualquer um que os tratasse mal. Disse também que, se alguém batesse neles em um lado da face, deveriam oferecer o outro lado para eles baterem também. Se alguém pedisse que eles andassem uma milha, deveriam andar duas milhas.

Quem ama a Deus paga o mal com o bem. Só assim, mostrará o amor de Deus; só assim será diferente daqueles que estão a seu redor e mostrará que o caminho de Deus é o melhor caminho.

P **Como podemos amar a Deus?**

R **Amando as outras pessoas.**

Jesus contou uma história sobre o que aconteceria no final dos tempos. Deus receberia aqueles que o alimentassem quando estava faminto e lhe dessem água quando estava sedento; ele se agradaria de quem tivesse lhe dado vestimentas e um lugar para ficar quando ele não tivesse nada ou quando alguém cuidado dele quando ele estava doente e o tivesse visitado na prisão.

Quando aquelas pessoas perguntaram a ele quando é que haviam feito essas coisas por ele, ele respondeu o seguinte: se alguma vez tinham ajudado alguém em necessidade, era porque automaticamente tinham feito isso por ele também..

A crucificação de Jesus

P O que era a crucificação?

R Uma punição para criminosos.

Os romanos usavam a crucificação como forma de execução.

Os criminosos eram chicoteados e, quando já estavam fracos, eram pregados pelos pulsos e tornozelos a uma cruz de madeira, depois eram deixados dependurados ao lado da estrada até que morressem com sede e de dores terríveis. Tudo isso podia levar muitas horas.

P Onde Jesus foi crucificado?

R No Gólgota, fora dos muros da cidade.

Na noite anterior, noite de seu julgamento, Jesus não dormiu. Bateram e riram dele, e ele já estava fraco quando carregou a cruz, tropeçando até o lugar onde as pessoas eram crucificadas.

Este lugar ficava ao lado da principal estrada pública fora de Jerusalém, em um lugar rochoso que parecia uma caveira. Jesus foi crucificado entre dois ladrões.

P Quem queria que Jesus fosse crucificado?

R Os líderes religiosos.

Os líderes dos fariseus, um rigoroso grupo judeu, odiavam Jesus. Eles tinham muito mais regras do que as que Deus tinha dado a seu povo. Quando Jesus tentou dizer às pessoas o quanto Deus as amava e que elas precisavam apenas obedecer aos Dez Mandamentos, eles ficaram zangados. Eles não conseguiam acreditar que Jesus tinha o poder de Deus e que tinha vindo de Deus.

P Quanto tempo Jesus ficou na cruz?

R Seis horas.

Jesus foi pregado na cruz às nove horas da manhã e morreu às três horas da tarde.

Jesus pediu a Deus que perdoasse os homens que o pregaram na cruz. Dois ladrões foram pendurados em cruzes ao lado de Jesus. Quando um deles creu em Jesus, ele disse ao homem que, naquele dia mesmo, o homem estaria com Jesus no paraíso.

Antes de clamar "Está consumado", Jesus pediu a João que cuidasse de sua mãe. Em seguida, Jesus morreu.

A morte e sepultamento de Jesus

P Jesus realmente morreu?

R Sim.

Era sexta-feira e os líderes religiosos não queriam ninguém na cruz no dia de sábado. Eles perguntaram a Pilatos, o governador romano, se podiam quebrar as pernas dos homens que estavam nas cruzes para que morressem mais rápido. Depois os corpos poderiam ser retirados.

Os soldados quebraram as pernas dos dois ladrões, mas, quando foram quebrar as de Jesus, viram que ele já estava morto. Então, em vez de quebrar as pernas, um soldado espetou uma espada no lado de Jesus, e dali saiu sangue e água.

P O que aconteceu depois que Jesus morreu?

R Ele foi sepultado na sepultura de outra pessoa.

Depois que Jesus morreu, José de Arimateia, um discípulo rico, perguntou a Pilatos se poderia levar o corpo e sepultá-lo. Ele enrolou o corpo de Jesus em um tecido limpo de linho. Depois José colocou-o em uma tumba aberta em uma rocha. Uma pedra grande e pesada foi rolada para fechar a entrada. Os fariseus lembraram que Jesus havia prometido ressuscitar dos mortos, por isso pediram a Pilatos para colocar guardas do lado de fora da tumba; assim, ninguém poderia roubar o corpo de Jesus e dizer que ele havia ressuscitado.

P **O que a morte de Jesus conquistou?**

R **Perdão para todos os que creem nele.**

Os acontecimentos da Sexta-feira Santa, quando Jesus morreu na cruz, foram horríveis. Jesus não merecia morrer uma morte tão cruel. Mas a sua morte fazia parte do plano de Deus desde o princípio para lidar com o problema da punição do pecado.

Deus enviou Jesus para ser o Salvador do mundo. Quando Jesus morreu, ele sofreu a punição que todos os pecadores deveriam sofrer. Jesus resgatou o mundo da morte. Sua morte significou que todos que cressem nele poderiam ser perdoados.

P **Como posso ser perdoado?**

R **Crendo que Jesus morreu no seu lugar.**

Todo aquele que sabe que fez coisas erradas e crê que Jesus morreu na cruz levando seus pecados será perdoado. O apóstolo Paulo e seu discípulo Silas disseram ao carcereiro em Filipos que ele poderia ser salvo se cresse e fosse batizado.

Paulo disse aos cristãos da igreja em Roma que todos eram pecadores e precisam ser perdoados por Deus. Agora Deus oferece de graça o perdão e a vida no céu depois da morte para toda pessoa que crer nele.

A ressurreição de Jesus

P **O que as mulheres descobriram no primeiro dia da Páscoa?**

R **Que Jesus não estava mais morto.**

No terceiro dia depois da morte de Jesus, domingo de manhã, algumas mulheres foram ao túmulo para ungir o corpo dele com ervas e especiarias. Elas viram que a grande pedra tinha sido rolada para o lado e que o corpo de Jesus havia desaparecido. Dois anjos surgiram diante delas e disseram: "Jesus não está aqui. Ele ressuscitou dos mortos!". As mulheres correram para contar aos discípulos a notícia incrível.

P **Quem foi a primeira pessoa a ver Jesus vivo?**

R **Maria Madalena.**

Maria Madalena ficou no túmulo, muito triste. A princípio, ela não conseguia entender o que havia acontecido. Em seguida, encontrou um homem no jardim e pensou que ele fosse o jardineiro. Quando ele a chamou pelo nome, ela imediatamente reconheceu que aquele homem era Jesus. Ele tinha ressuscitado da morte e estava vivo!

P Jesus virou um fantasma depois de ressuscitar?

R Não. Mas ele tinha um novo tipo de corpo.

Depois da Páscoa, Jesus entrou em uma casa onde estavam seus amigos, embora a porta estivesse trancada. Jesus também desapareceu de repente sem usar porta nem janela.

Mas Jesus não era um fantasma. Ele mostrou aos discípulos as marcas dos pregos nas mãos e chamou Tomé para tocar nelas. Jesus comeu pão e peixe com os discípulos e preparou uma refeição para eles na praia depois de terem pescado durante a noite.

P Jesus ficou na terra?

R Não. Ele voltou para o céu.

Jesus foi visto por Maria Madalena, por onze de seus doze discípulos, por dois amigos caminhando para Emaús, e por mais de 500 seguidores. Ele conversou e comeu com eles por quarenta dias.

Por fim, Jesus encontrou seus amigos em um monte na Galileia. Ele lhes disse para ficarem em Jerusalém e esperarem a vinda do Espírito Santo, que lhes daria poder para contarem a todos sobre Jesus. Em seguida, uma nuvem encobriu Jesus e o levou para o alto.

Quando a nuvem desapareceu, dois homens de branco surgiram e disseram: "Jesus foi levado para o céu".

O ESPÍRITO SANTO

P Quem é o Espírito Santo?

R É a presença de Deus na terra.

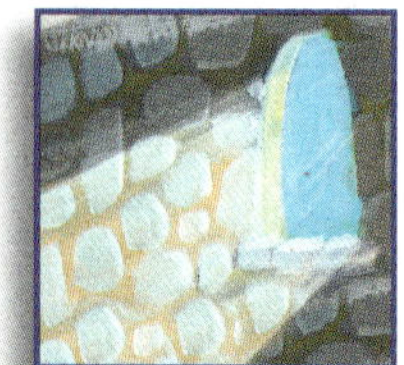

Deus Pai, Deus Filho e Deus Espírito Santo são três manifestações de um mesmo e único Deus. Trindade é como os três são chamados.

Portanto, o Espírito Santo é Deus. Ele sempre existiu. Ele estava lá quando o mundo foi criado, movendo-se sobre as coisas que foram criadas. Assim como o vento, que pode ser sentido mesmo sem ser visto, o Espírito Santo está lá e pode ser conhecido por sua atuação sobre as pessoas e os acontecimentos.

P O que aconteceu na festa de Pentecoste?

R O Espírito Santo veio sobre os cristãos.

Jesus prometeu que o Espírito Santo viria ajudar os cristãos depois que ele retornasse a Deus Pai, no céu. Quando os primeiros cristãos se reuniram em Jerusalém para a festa de Pentecoste, ouviram um som como o de um vento forte e viram chamas de fogo sobre cada um dos que estavam ali. O Espírito Santo lhes deu poder para falarem em muitas línguas e coragem para falar de Jesus a todos os visitantes estrangeiros que participavam da festa em Jerusalém.

P O que o Espírito Santo faz?

R Ajuda ou dá poder ao povo de Deus.

Jesus descreveu o Espírito Santo como "Ajudador". O Espírito Santo dá o poder e a sabedoria de Deus às pessoas para que façam a obra de Deus. Ele as ajuda a serem mais parecidas com Jesus. Ele mostra às pessoas como Deus é, lembrando-as das palavras de Deus e ajudando-as a reconhecer quando fazem alguma coisa errada. O Espírito Santo também ajuda as pessoas a orar.

P Como o Espírito Santo ajuda a igreja?

R Ele concede diversos dons.

O apóstolo Paulo disse aos cristãos de Corinto que o Espírito Santo lhes daria poder para fazer milagres, curar, pregar, ensinar, ter fé, profetizar, entender o que Deus fala, falar e compreender línguas diferentes e ajudar as pessoas.

Paulo disse que o Espírito Santo concede dons diversos para todos na igreja, a fim de que possam ajudar e encorajar uns aos outros. Todos os dons são importantes.

A IGREJA

P O que é uma igreja?

R Um grupo de cristãos.

Embora geralmente usemos a palavra "igreja" para nos referir a um prédio, qualquer reunião de cristãos é uma igreja, onde quer que eles se reúnam. Os primeiros cristãos, que se reuniam em Jerusalém depois da vinda do Espírito Santo, são chamados, às vezes, de igreja primitiva. Pedro era o líder dos primeiros cristãos. Ele descreveu a igreja como um grupo de "pedras vivas": eram pessoas, não prédios.

P Quem pode pertencer à igreja?

R Todos os que creem em Jesus.

O apóstolo Paulo disse à igreja da Galácia que todos os cristãos são iguais: homens e mulheres, judeus ou de qualquer outra nacionalidade, escravos ou livres — todos são filhos de Deus e, portanto, uma família de irmãos, não importando de onde tenham vindo.

P Para que serve a igreja?

R Para encorajar uns aos outros.

A igreja primitiva se reunia para adorar a Deus, orar, cantar hinos, encorajar e ajudar uns aos outros. Eles comiam juntos, compartilhavam tudo o que tinham e davam dinheiro aos pobres.

A igreja faz o mesmo hoje, ajudando os cristãos a viver como povo de Deus durante o resto da semana. A igreja se reúne em templos ou catedrais, na casa das pessoas, nos centros comunitários ou salões de escolas. Em alguns países, onde ser cristão é contra a lei, a igreja precisa se reunir em um lugar secreto.

P Por que existem diferentes tipos de igrejas?

R Porque as pessoas gostam de adorar a Deus de maneiras diferentes.

Algumas pessoas gostam de cultos formais e períodos de silêncio; outras pessoas preferem ser mais espontâneas, gesticulando, cantando com palmas e danças etc. Encontrar a igreja certa significa escolher pessoas que o ajudam a servir a Deus da melhor forma. Também significa encontrar o lugar onde você pode usar os dons que Deus lhe deu.

Paulo descreve a igreja como o Corpo de Cristo. Esse Corpo também é constituído de muitas partes, não de apenas uma: um Xorpo não é só ouvidos, ou somente braços — há olhos e boca, mãos e pés. Cada parte do corpo tem um trabalho a fazer. Assim também, na igreja, cada membro tem pelo menos um dom para ser utilizado a fim de fazer algo útil para Deus.

O Batismo

P Quem batizou os seguidores?

R João Batista, que estava preparando o caminho para Jesus.

Quando as pessoas iam encontrar-se com João, ele lhes dizia que precisavam arrepender-se, pedir perdão por seus pecados e ser batizadas no rio Jordão. Depois precisavam mudar seu modo de vida e passar a viver como Deus queria que elas vivessem.

As pessoas entravam na água e João as mergulhava. Não é que João estivesse tirando a sujeira delas; a água era um sinal de que os pecados tinham sido perdoados.

P Por que Jesus foi batizado?

R Ele sabia que era o que Deus queria.

Jesus pediu a João que o batizasse no rio Jordão. João sabia que Jesus não tinha pecados para confessar. Também sabia que Jesus era o Salvador prometido por Deus. Ele até mesmo disse que seria melhor se Jesus o batizasse!

Mas João fez o que Jesus pediu. Quando Jesus saiu da água, uma voz do céu disse: "Este é o meu Filho amado, em quem me agrado".

P **Quem pode ser batizado agora?**

R **Todos os que querem seguir a Jesus.**

Jesus disse a seus amigos que fizessem discípulos em todo o mundo e os batizasse. No dia de Pentecoste, Pedro disse às pessoas que seguissem o caminho de Deus e fossem batizadas, para que seus pecados fossem perdoados. Naquele dia, 3 mil pessoas foram batizadas!

Qualquer pessoa que crê que Jesus morreu por ela e que deseja viver da maneira que Jesus ensinou os discípulos a viver pode ser batizada.

P **O que acontece no batismo?**

R **A água é usada como um símbolo, lavando os pecados.**

Os pais podem levar seus filhos à igreja para que sejam batizados e, assim, recebidos na família cristã depois de os pais terem se comprometido em seu crescimento espiritual.

Adultos ou cristãos recém-convertidos podem, eles próprios, prometer seguir a Jesus. Podem ser batizados num batistério, numa piscina ou num rio. Eles são mergulhados na água, simbolizando a morte da velha vida, e são erguidos da água, como símbolo da ressurreição para uma nova vida com Jesus.

A CEIA DO SENHOR

P Por que os cristãos celebram a ceia do Senhor?

R Porque Jesus disse aos discípulos para celebrá-la.

Na noite antes de sua morte, Jesus participou de uma última refeição com seus 12 discípulos. Ele pegou um pão, partiu-o e dividiu-o com os discípulos, dizendo: "Isto é o meu corpo dado em favor de vocês; façam isto em memória de mim".

Em seguida, Jesus pegou um cálice de vinho e disse: "Este cálice é a nova aliança no meu sangue, derramado em favor de vocês".

Jesus disse aos discípulos para se lembrarem dele sempre que comessem pão e *bebessem* vinho juntos.

P O que acontece na ceia do Senhor?

R Os cristãos lembram a morte de Jesus.

Desde a época da igreja primitiva, os cristãos repartem o pão e *bebem* o vinho de uma forma especial, em memória de Jesus e do sacrifício que ele fez quando morreu na cruz, como ele lhes dissera para fazer.

A maioria das igrejas cristãs ainda faz assim, celebrando regularmente um culto de ceia. Pode ser chamada de ceia do Senhor ou eucaristia, mas os cristãos são convidados a comer pão ou um biscoito especial e tomar um gole de vinho ou suco em memória de Jesus.

P **Quem pode participar da ceia do Senhor?**

R **Cristãos que declararam sua fé abertamente.**

A ceia do Senhor é um culto muito especial. Quando os cristãos comem o pão e bebem o vinho, estão participando de algo de grande valor. Estão admitindo que sabem que são pecadores e precisam do perdão e da força de Jesus para ter uma vida que agrade a Deus. Estão mostrando que querem agradecer a Jesus por ele ter morrido em nosso lugar.

Muitas igrejas aceitam cristãos para batismo ou para que confirmem sua fé num culto especial, antes que eles se tornem membros regulares da igreja.

P **O que mais acontece no culto na igreja?**

R **Leituras bíblicas, orações, hinos e uma mensagem do pastor.**

Geralmente é feita a leitura de uma ou mais passagens da Bíblia. São feitas orações em favor de pessoas que precisam de ajuda e são cantados hinos em louvor a Deus. Em seguida, o pastor faz o estudo de uma passagem da Bíblia para instruir e ensinar as pessoas.

As igrejas podem incluir essas partes em diferentes momentos do culto.

A ORAÇÃO

P O que é oração?

R Uma conversa com Deus.

As pessoas devem louvar a Deus, dizendo a ele o quanto o amam. Devem pedir perdão pelas coisas que fizeram de errado e agradecer a Deus por todas as coisas que ele fez por elas.

Jesus disse que, quando as pessoas oram, devem lembrar que Deus é como o pai que quer dar coisas boas a seus filhos. Deus sabe do que precisamos antes mesmo de lhe pedirmos. Devemos usar palavras simples, escutar a resposta e confiar que Deus fará o que é melhor.

P O que é a oração do Pai-nosso?

R Um modelo de oração que Jesus ensinou a seus amigos.

Pai nosso, que estás nos céus!
Santificado seja o teu nome.
Venha o teu Reino;
seja feita a tua vontade,
assim na terra como no céu.
Dá-nos hoje o nosso pão de cada dia.
Perdoa as nossas dívidas
assim como perdoamos aos nossos devedores.
E não nos deixes cair em tentação,
mas livra-nos do mal [...]."

P Quando devo orar?

R A qualquer momento!

Você pode falar com Deus em qualquer hora e ele quer que você fale. É melhor, porém, ter também um momento especial pelo menos uma vez por dia para falar com ele. Você pode orar quando está triste, quando está feliz, quando precisa de ajuda para você ou para qualquer outra pessoa. Pode agradecer a ele, dizer que está arrependido e pedir o que precisa. Jesus orava a Deus muitas vezes quando estava na terra, e nós também devemos fazer como ele fez.

P Como devo orar?

R Falando com Deus e ouvindo o que ele fala.

Você pode orar em qualquer lugar (em voz alta ou em silêncio), em qualquer momento, não importa o que esteja fazendo. Pode ajoelhar-se para mostrar que deseja servir a Deus ou pode fechar os olhos para concentrar sua mente na oração...

Mas, se não quiser, você não precisa fazer nenhuma dessas coisas. Apenas converse com Deus como conversaria com seu melhor amigo ou com um pai amoroso. O mais importante é ser honesto com Deus — não finja! Conte a ele como você se sente. Ele *sabe* o que você está pensando! E lembre-se de ouvir o que ele diz.

O DINHEIRO

P Para que serve o dinheiro?

R Para nos dar o que precisamos para viver.

No Antigo Testamento, Jacó prometeu que, se Deus lhe desse o alimento e as roupas de que precisava, ele devolveria 10% para Deus.

O rei Davi reconheceu que tudo o que tinha vinha de Deus e ele estava apenas cuidando dessas coisas, devolvendo a Deus para que ele pudesse usá-las.

Jesus disse a seus discípulos que eles não deviam se preocupar com o que comer ou vestir, porque Deus lhes daria tudo o que eles precisassem.

P As pessoas ricas podem ser amigas de Jesus?

R Sim. Mas pode ser difícil.

Um homem rico foi até Jesus e perguntou: "Como posso ter vida eterna?". Jesus disse que estava satisfeito porque aquele homem guardava todos os mandamentos de Deus, mas disse a ele para fazer mais uma coisa: vender tudo o que tinha e dar o dinheiro aos pobres.

O homem era muito rico e foi embora triste. Ele precisava escolher entre Deus e o dinheiro, e preferiu o dinheiro. Jesus disse que era difícil que os ricos entrassem no Reino de Deus.

P Como devemos doar dinheiro?

R Com alegria.

O apóstolo Paulo disse que Deus ama as pessoas que se alegram quando doam dinheiro para ajudar outras pessoas. Não importa tanto quanto você dá, mas se você precisa do que sobrou.

Jesus viu uma mulher pobre dando suas últimas moedas para o trabalho do templo. Disse que a pequena quantia que ela doou valia muito porque outros haviam dado do que estava sobrando, mas ela estava dando tudo o que tinha.

P Quem deve receber o dinheiro que nós doamos?

R Qualquer um que precise.

O apóstolo Paulo disse aos primeiros cristãos que Deus lhes dera o bastante para que pudessem repartir com qualquer um que precisasse de ajuda e ele os encorajou a dar generosamente e oferecer hospitalidade às outras pessoas. Paulo também disse que as pessoas que davam muito também receberiam muito; aqueles que davam pouco receberiam pouco.

Hoje os cristãos doam para muitas causas, inclusive para sua própria igreja e para as pessoas que trabalham nela; para projetos de ajuda aos pobres; para missionários dentro e fora de seu país e outras pessoas que trabalham para Deus; até mesmo para pessoas de outros países que passam necessidade.

SEGUINDO A JESUS

P Como as pessoas podem seguir a Jesus hoje?

R Vivendo como Deus quer que elas vivam.

Paulo mandou uma carta à igreja em Colossos. Ele disse: "Agora que vocês são cristãos devem parar de sentir raiva, ódio e de dizer coisas ruins sobre os outros. Em vez disso, sejam gentis, humildes e pacientes. Perdoem qualquer um que agir errado com vocês. A coisa mais importante é amar uns aos outros".

P Que coisas boas os cristãos deveriam fazer?

R Ser honestos, justos e gentis uns com os outros.

Quando Zaqueu, o coletor de impostos, encontrou Jesus, ele desistiu de enganar as pessoas e roubar o dinheiro delas. Zaqueu prometeu devolver mais do que tinha tomado das pessoas e prometeu dividir com os pobres o que tinha.

Quando as pessoas se encontram com Jesus, a vida delas muda e começam a querer fazer coisas boas. Os discípulos da igreja primitiva compartilhavam o que possuíam, eram gentis uns com os outros e davam para as pessoas as coisas que elas precisavam. Hoje, mesmo que não conheçam alguém que precise de ajuda, as pessoas podem contribuir para muitas obras sociais.

P **Como deve ser um cristão?**

R **Deve ser como Jesus.**

O apóstolo Paulo disse à igreja na Galácia que o Espírito Santo ajudaria os cristãos a ser como Jesus. Jesus é amoroso, alegre, pacificador, paciente, amável, bondoso, fiel, manso e com domínio próprio.

Os cristãos não se tornam perfeitos da noite para o dia, mas a vida deles muda aos poucos, como resultado de conhecer a Jesus e de ouvir o que Deus quer deles.

P **O que acontece quando os cristãos fazem coisas erradas?**

R **Eles contam tudo para Deus e dizem que estão arrependidos.**

Deus promete perdoar as pessoas se elas estiverem realmente arrependidas e confessarem seu pecado. É importante agradecermos a Deus por seu perdão para vivermos como ele planejou. Paulo disse aos cristãos da igreja em Roma que, ao se tornarem cristãos, eles saberiam melhor o que é o pecado e seriam tentados a continuar fazendo as coisas que sabiam ser erradas.

O SOFRIMENTO

P Por que há sofrimento no mundo?

R Porque são as pessoas que fazem suas escolhas.

Deus criou Adão e Eva e lhes permitiu escolher ouvir ou não ouvir a Deus. Eles escolheram seguir o próprio caminho em vez de seguir o caminho de Deus. Quando Adão e Eva pecaram, o mundo deixou de ser perfeito. Foram eles que experimentaram o primeiro sofrimento quando Deus os expulsou do Éden. O ciúme de Caim causou a morte de Abel, e desde então muito sofrimento foi causado porque as pessoas escolhem fazer coisas que machucam as outras, em vez de tentarem fazer coisas boas como Deus quer.

P Por que pessoas morrem na pobreza?

R Porque os ricos não repartem sua riqueza.

Deus criou um mundo rico de muitas coisas boas. Deus nos disse para não sermos gananciosos, mas para compartilharmos o que temos e cuidarmos das outras pessoas, principalmente das que precisam da nossa ajuda. Ninguém pode fazer outra pessoa repartir se ela quiser manter tudo que tem para si mesma; então as pessoas pobres sofrem e morrem.

P **Por que acontecem desastres naturais?**

R **Às vezes, porque as pessoas não cuidam do mundo de Deus.**

Alguns desastres naturais acontecem porque as pessoas cortaram muitas árvores, e por isso há mais enchentes no mundo; a poluição causada por pessoas descuidadas destruiu o equilíbrio delicado da natureza criada por Deus.

Ao longo das eras, em vez de cuidarem do mundo físico, as pessoas retiraram mais do que precisavam da natureza, sem pensar nas consequências que isso traria para outras pessoas, nações ou gerações futuras. Isso fez com que o gelo dos polos derretesse, alterou o clima e teve efeitos ruins em muitas partes do mundo.

P **Deus se importa quando as pessoas sofrem?**

R **Sim. Deus odeia o sofrimento e a injustiça de todos os tipos.**

Os mandamentos de Deus sempre supriram as necessidades dos pobres, das viúvas e dos órfãos; dos estrangeiros e dos desabrigados. Deus se irava com o povo quando eles eram injustos, cruéis, descuidados e gananciosos.

Deus enviou Jesus, que tinha compaixão dos tristes e doentes e levou a dor e o sofrimento deles. Quando seu amigo Lázaro morreu, Jesus chorou.

Por fim, Deus sofreu quando Jesus morreu na cruz. Naquela morte, ele experimentou dor, sofrimento, solidão e perda.

O céu

P **O que é o céu?**

R **O lugar onde Deus está.**

Jesus ensinou uma oração que começa assim: "Pai nosso, que estás nos céus!". Deus está no céu.

Jesus disse que veio do céu e voltaria para lá. Depois da ressurreição dos mortos, Jesus subiu aos céus.

Jesus descreveu o céu em linguagem figurada como uma casa com muitos quartos. Ele estava indo para lá preparar um lugar para todo aquele que o ama. Ele prometeu estar lá com seus amigos.

P **Como é o céu?**

R **Um lugar feliz.**

A Bíblia descreve o céu como um lugar onde não há mais pecado, sofrimento, tristeza, dor ou morte. Deus secará todas as lágrimas.

Não haverá mais ódio, crueldade ou perseguição no céu; não haverá guerras nem brigas; ciúmes nem roubo. O céu é um lugar onde há paz e ninguém tem motivos para estar triste. Nada que destrói a vida na terra estará lá.

P Quem estará no céu?

R Todos os que creem em Jesus.

Deus estará lá com seu povo e viverá com eles. Cristãos que já morreram viverão com Deus e estarão com ele para sempre.

Quando Tomé, um dos discípulos, perguntou a Jesus qual era o caminho para o céu, Jesus respondeu: "Eu sou o caminho, a verdade e a vida. Ninguém vem ao Pai, a não ser por mim". Jesus mostrou às pessoas como deveriam viver e, por sua morte, tornou possível a qualquer pessoa ser perdoada de seus pecados e ser amiga de Deus.

P O que podemos levar conosco para o céu?

R Nada, a não ser nós mesmos.

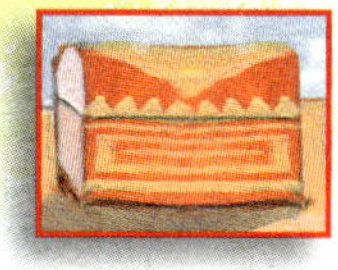

Jesus contou uma história sobre um homem que passou a vida enriquecendo. Ele acreditava que depois de conseguir tudo que desejasse, poderia gastar o resto da vida comendo e bebendo e seria feliz. Mas ele morreu e não pôde levar nada de sua riqueza com ele. Depois de sua morte, outros desfrutaram das coisas que ele ganhou trabalhando a vida toda.

Jesus disse que é mais importante empenhar-se em ser manso, generoso e ajudar as outras pessoas, pois essas coisas são como tesouros no céu e não apodrecem nem enferrujam como as coisas da terra.

A JORNADA DA FÉ

P O que é fé?

R Crer e confiar em Deus.

Deus disse a Abraão para confiar nele. Abraão era bem velho quando Deus pediu que ele fizesse uma longa viagem, mas ele obedeceu a Deus, deixando sua casa e indo para uma nova terra que não conhecia. Lá, embora sua esposa fosse muito velha para ter filhos, Sara deu à luz seu filho, Isaque. Abraão creu e obedeceu, e Deus cumpriu sua promessa.

Algumas vezes, Abraão duvidou de Deus e foi perguntar se tinha entendido o que Deus prometera. Mas Abraão tinha fé.

P Em quem os israelitas tinham fé?

R Muitos deles tinham fé neles mesmos.

Deus pediu aos israelitas, a nação judaica, que confiassem nele como Abraão confiou. Deus lhes deu maná para comer, água para beber e tudo o que eles precisavam, inclusive uma terra para viver.

Quando as coisas iam bem, eles confiavam em Deus. Assim que ficava difícil, eles procuravam alguma coisa mais em que confiar. Geralmente, acreditavam nos ídolos em que criam as outras nações que os cercavam.

Às vezes, confiavam neles mesmos e decidiam que não precisavam mais de Deus. Sua jornada de fé os levou pelo deserto até a terra prometida, depois ao exílio, e, muitos anos depois, de volta à terra deles.

P Por que os sábios seguiram a estrela?

R Para encontrar o rei prometido.

Os homens sábios eram cientistas, eles não eram judeus. Estudavam as profecias, as estrelas e acreditavam que um novo rei havia nascido. Correram o risco e partiram do Oriente numa longa jornada até encontrar Jesus. Quando chegaram a Belém, tiveram a certeza de que haviam encontrado aquele que estavam procurando. Então, responderam com o que tinham. Ofereceram presentes e adoraram a Jesus.

P Por que Tomé creu?

R Porque ele mesmo viu Jesus.

Depois da ressurreição, todos os discípulos viram Jesus, menos Tomé. Ele não creu até que ele mesmo viu Jesus vivo. Ele creu quando Jesus foi até ele. Jesus disse: "Felizes os que não viram e creram".

Todo aquele que põe sua fé em Deus é uma dessas pessoas felizes. Elas não viram por si mesmas, mas creram no relato de testemunhas. A fé nasce quando as pessoas ouvem sobre Deus e decidem que estão certas de que podem confiar nele. É o início de uma jornada.

Por que estou aqui?

P Deus sabe quem eu sou?

R Sim. Ele o criou você e o(a) ama.

Deus criou todas as pessoas e conhece todas elas. O rei Davi escreveu uma canção que diz que Deus o conhecia, mesmo quando ele ainda estava na

barriga da mãe dele, e Deus já tinha planejado as coisas boas que um dia Davi poderia fazer.

Cada pessoa é especial para Deus. Deus espera que todos o conheçam e, como Jesus disse às pessoas na história da ovelha perdida, Deus, o pastor, não fica feliz até que a última pessoa esteja segura onde deveria estar.

P Como posso saber que Deus me ama?

R Ele entregou Jesus para morrer numa cruz.

Desde o princípio, o plano de Deus era que as pessoas que ele criou o conhecessem e o amassem. Quando elas pecaram, Deus os redimiu, comprando-as de volta e corrigindo o que estava errado.

Quando Jesus morreu na cruz, Deus redimiu as pessoas que ele havia criado porque as amava. Jesus morreu uma vez e isso foi suficiente. Deus chama todos para serem perdoados, para começarem de novo e se tornarem amigos de Deus.

P O que posso dar para Deus?

R Você mesmo, tudo o que é e tudo o que tem.

Todos têm alguma coisa que Deus pode usar. Ele deu dons a todos. Deus pode usar qualquer coisa que dermos a ele e fazer grandes coisas com isso.

Quando Jesus quis encontrar comida para mais de 5 mil pessoas famintas, um menino ofereceu seu almoço — cinco pães e dois peixes. Jesus pegou aquela comida e, por um milagre, alimentou todas as pessoas que estavam lá, e ainda sobrou!

P Qual é o propósito da vida?

R Amar a Deus e guardar seus mandamentos.

Deus deu grande sabedoria e entendimento ao rei Salomão. Deus também lhe deu riqueza e poder. Quando ele já era um homem velho, olhou para trás e percebeu que o dever de toda pessoa é simplesmente amar e respeitar a Deus e guardar seus mandamentos. Nada mais importa. Tudo o mais parece sem propósito, pois não tem valor eterno.

Índice de histórias bíblicas

Quem escreveu a Bíblia?
2Timoteo 3.16

Quem é Deus?
Gênesis 1.1,27; Salmos 139.13-16

Como Deus é?
Salmos 86.15; 1João 4.8,16

Onde Deus está?
Salmos 139.7-10

Como podemos conhecer a Deus?
Lucas 15.11-32

Quem criou o mundo?
Gênesis 1

Que tipo de mundo Deus criou?
Gênesis 1; 2

Por que Deus criou as pessoas?
Gênesis 2

Quando as coisas começaram a dar errado no mundo?
Gênesis 3

O que é o pecado?
Romanos 5.12-14;
Mateus 25.34-36

O que o pecado faz?
Gênesis 3; 4; Romanos 3.23

Deus deixa de amar as pessoas que pecam?
Gênesis 3; 4; Romanos 6.23

Alguém é perfeito?
Levítico 16.20-22; 1Pedro 2.22,24

Por que Deus mandou o Dilúvio?
Gênesis 6.1-8

Deus salvou alguém?
Gênesis 6.9—9.17

Por que a torre de Babel foi construída?
Gênesis 11.1-9

O que Deus pediu a Abraão?
Gênesis 12.1-4

O que Deus prometeu a Abraão?
Gênesis 12.2,3; 15.5; 21.1-7

Quem eram os patriarcas?
Gênesis 24.1-15; 25.20-34; 27.1-45

Quando o povo de Deus passou a ser chamado de israelitas?
Gênesis 32.28; 48—50;
Êxodo 1.8-11

Onde ficava a terra prometida?
Gênesis 17.8

Quantos mandamentos Deus deu a Moisés?
Êxodo 19.20-25

Quando Deus entregou esses mandamentos?
Êxodo 31.18

O que os mandamentos dizem a respeito de Deus?
Êxodo 20.1-11

Como devemos tratar as outras pessoas?
Êxodo 20.12-17

Por que Deus fez promessas?
Gênesis 1.31; 15.18; 17.1,2

Qual foi o resultado da promessa de Deus a Abraão?
Gênesis 12.1,2; 2Samuel 7.16

O que aconteceu quando o povo quebrou a aliança?
Êxodo 16; 17.1-7; 32.1-4

Por que Deus enviou profetas?
1Reis 19.9,10; Isaías 6.1-8;
Jeremias 1.4-8; Ezequiel 2.1-4;
Jonas 1

Quem fez das pessoas profetas?
Êxodo 4.10-16; 1Reis 19.3,4; Isaías 6.5; Jeremias 1.6; Jonas 1.1-3

O que um profeta fazia?
1Reis 17.2; Isaías 6.8; Ezequiel 1.25-28; 2.8—3.3; 37.1-14;
Miqueias 3.8

Por que o trabalho deles era difícil?
Jeremias 18.18; 34.4-6;
1Reis 19.1,2

Que mensagens eles levavam?
1Reis 18; Isaías 65; Jeremias 32.17-41; Amós 5.14,15,21-24;
Miqueias 5.2,4,5

Quem é Jesus?
João 1.1,2; Mateus 1.21

Quando Jesus viveu?
Lucas 1.5; Lucas 2.1-4

Como era Jesus?
Lucas 5.12-14,27-32; 19.1-10;
22.41,42; Hebreus 4.15

O que Jesus ensinava?
Lucas 10.25-28; Mateus 6.14;
Lucas 18.22-25

Quem era a mãe de Jesus?
Lucas 1.26-38

Quando Maria se casou com José?
Mateus 1.18-25

Onde Jesus nasceu?
Lucas 2.1-7; Miqueias 5.2

Quem foi visitar o bebê Jesus?
Lucas 2.8-20; Mateus 2.1-12

O que Jesus ensinou sobre viver uma vida correta?
Mateus 5.13-16,48

O que Jesus ensinou sobre a ira?
Mateus 5.21,22,25

O que Jesus ensinou sobre o perdão?
Mateus 18.21-35

O que Jesus disse sobre os erros das outras pessoas?
Mateus 7.1-5

Por que Jesus fez milagres?
Marcos 4.35-41; João 6.5-13;
11.1-44

Como Jesus ajudou as pessoas por meio dos milagres?
Mateus 20.29-34; Marcos 7.31-37; Mateus 8.2-4; 12.10-13; 8.5-13; Lucas 8.43-48; 8.41,42,49-56;
7.11-15; João 11.1-44

Como as pessoas reagiram?
João 2.1-11; Lucas 5.18-26; João 6.16-21

Por que os líderes religiosos odiavam Jesus?
Marcos 3.1-6

A quem devemos amar?
Lucas 10.25-28

Quem é o nosso próximo?
Lucas 10.30-37

O que Jesus falou sobre os nossos inimigos?
Mateus 5.38-48

Como podemos amar a Deus?
Mateus 25.31-40

O que era a crucificação?
Lucas 23.32,33

Onde Jesus foi crucificado?
João 19.16-18

Quem queria que Jesus fosse crucificado?
Marcos 14.53-65

Quanto tempo Jesus ficou na cruz?
Lucas 23.32-46; João 19.25-30

Jesus realmente morreu?
João 19.31-37

O que aconteceu depois que Jesus morreu?
Mateus 27.57-66

O que a morte de Jesus conquistou?
João 3.16; Romanos 3.22-26

Como posso ser perdoado?
Atos 2.38-39; 16.25-33; Romanos 6.23

O que as mulheres descobriram no primeiro dia da Páscoa?
Lucas 24.1-12

Quem foi o primeiro a ver Jesus vivo?
João 20.10-18

Jesus virou um fantasma depois de ressuscitar?
João 20.19-30; 21.1-14

Jesus ficou na terra?
Lucas 24.50-53; 1Coríntios 15.6; Atos 1.3-11

Quem é o Espírito Santo?
Gênesis 1.2

O que aconteceu na festa de Pentecoste?
João 14.16; Atos 2.1-11

O que o Espírito Santo faz?
João 15.26; 16.7.15; Marcos 13.11; Romanos 8.26,27

Como o Espírito Santo ajuda a igreja?
1Coríntios 12.1-11

O que é uma igreja?
Atos 2; 1Pedro 2.4,5

Quem pode pertencer à igreja?
Gálatas 3.26-28

Para que serve a igreja?
Atos 2.43-47

Por que existem diferentes tipos de igrejas?
1Coríntios 12.12-27

Quem batizou seus seguidores?
Marcos 1.4-8

Por que Jesus foi batizado?
Marcos 1.9-11

Quem pode ser batizado agora?
Mateus 28.18-20; Atos 2.37-41

Por que os cristãos celebram a ceia do Senhor?
Marcos 14.22-26

O que acontece na ceia do Senhor?
Atos 2.42

O que é oração?
Lucas 11.9-13

O que é a oração do Pai-nosso?
Mateus 6.9-13

Para que serve o dinheiro?
Gênesis 28.20-22; 1Crônicas 29.9-14; Mateus 6.31-34

As pessoas ricas podem ser amigas de Jesus?
Lucas 18.18-25

Como devemos doar dinheiro?
2Coríntios 9.7; Marcos 12.42-44

Quem deve receber o dinheiro que nós doamos?
2Coríntios 9

Como as pessoas podem seguir a Jesus hoje?
Colossenses 3.8,9,12-14

Que coisas boas os cristãos deveriam fazer?
Lucas 19.1-10; Atos 2.43-47

Como deve ser um cristão?
Gálatas 5.22-26

O que acontece quando os cristãos fazem coisas erradas?
Romanos 7.15-25; 1João 1.9

Por que há sofrimento no mundo?
Gênesis 2;3

Deus se importa quando as pessoas sofrem?
Jeremias 7.3-7; João 11.35; Isaías 53.1-6

O que é o céu?
Mateus 6.9; João 3.13; 14.1-4; Atos 1.1-8

Como é o céu?
Apocalipse 21.1-4

Quem estará no céu?
Apocalipse 21.3; 1Tessalonicenses 4.14; João 14.6

O que podemos levar conosco para o céu?
Lucas 12.16-20,32-34

O que é fé?
Gênesis 12.1-9; 21.1-5; Hebreus 11.8-12,17-19

Em quem os israelitas tinham fé?
Jeremias 2.13; Êxodo 16.3-31; Deuteronômio 2.7; Êxodo 32

Por que os sábios seguiram a estrela?
Mateus 2.1-12

Por que, Tomé creu?
João 20.24-29

Deus sabe quem eu sou?
Salmos 139; Lucas 15.3-7

Como posso saber que Deus me ama?
Efésios 1.7; 1Timóteo 2.5,6

O que posso dar para Deus?
João 6.1-13

Qual é o propósito da vida?
1Reis 3.6-10; Eclesiastes 12.13

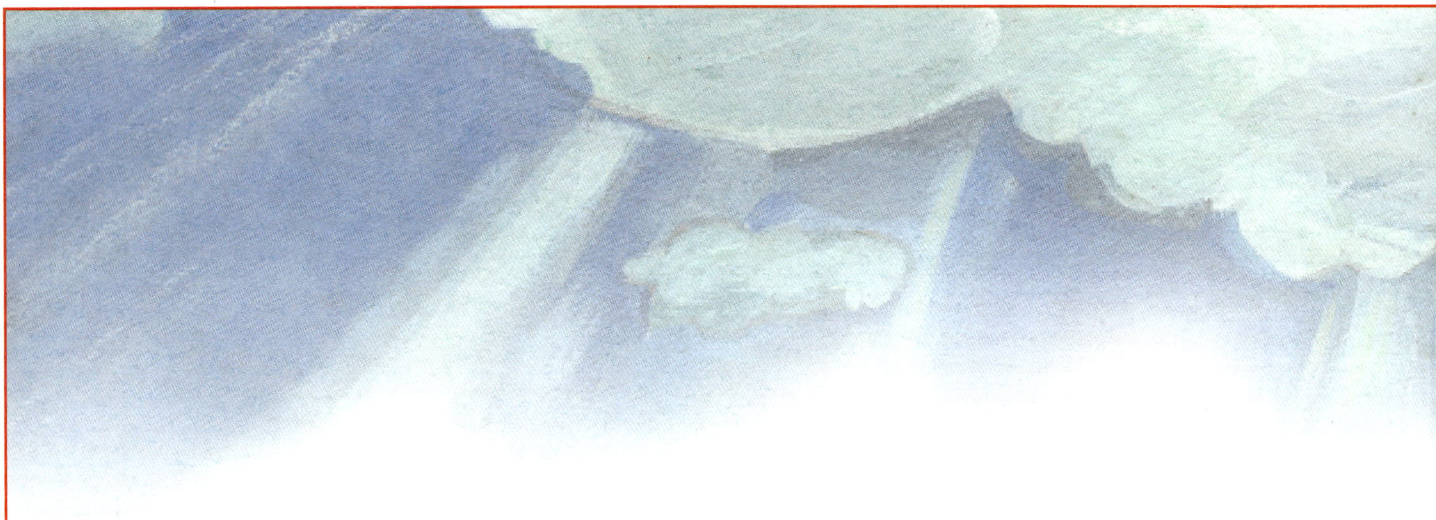

Esta obra foi composta em *Kidprint*
e impressa por Prol Gráfica
sobre papel *Couche fosco* 115 g/m² para Editora Vida.